ce livre appartient à :

Dans la même collection

1 Peurs
2 Sentiments
3 Petits ennuis
4 Incommodités
5 Bestioles
6 Foot
7 Gros ventre
8 Virgule
9 Bobards
10 Chat
11 Balivernes
12 Dis non !
13 Tennis
14 Super maman
15 Déménagement
16 Apprenti citoyen
17 Gâteaux
18 Moi - je

les petits carnets

apprenti citoyen

Écrit par Christian Poslaniec
Illustré par Manu Boisteau

SYROS

Choisir

Dans la vie, il y a des moments où il faut choisir.

Choisir de parler ou de se taire ; choisir de partir ou de rester… Choisir, c'est à la fois refuser quelque chose et accepter autre chose. Le petit mot « ou », sans accent, sépare toujours les deux choses.

Quand c'est trop difficile, quand on hésite, quand aucune des deux solutions ne convient, quand on ne sait pas ce qui est le mieux, ou qu'on s'en fiche, on choisit de ne pas choisir : on s'abstient.

S'abstenir, c'est parfois conserver pour plus tard le droit de choisir. Mais alors, on laisse les autres choisir à sa place ; et leur choix peut être mauvais.

ROBOCON
II

Accepter

Dans la vie, il y a des moments où l'on a très envie d'accepter quelque chose, mais on n'est pas sûr que ce soit une bonne idée.

Pour accepter quelque chose, il faut être assez sûr de soi et de ce qu'on veut ; sûr que ce qu'on a envie de faire, on peut l'expliquer à ses amis, même si leur avis est un peu différent.

Parfois on n'ose pas accepter, parce qu'on n'est pas sûr de bien faire, ou qu'on a peur de gêner, ou qu'on est timide, tout simplement. Pour savoir si l'on doit accepter quelque chose, on peut essayer de penser à l'avenir. Si l'on sent qu'on sera heureux de l'avoir fait, il faut oser.

oi, en TOUS cas,
BRUNO Y VA,
j'Y vais !

Moi AUSSi...

T'Y VAS BRUNO ?

Ben, si PAUL et RÉGIS en SONT, OKAY...

accepter

ÉGIS, ÇA BRANCHE ?...

OUAIS, Si ÉRIK est OKAY, Moi CHUIS OKAY...

OUAIS, Moi AUSSi CHUIS OKAY !...

N Ben si TOUS
e MONDE est
KAY, ON Y
A...

en SKATE ?!!

Refuser

Dans la vie, il arrive qu'on cherche à nous faire faire quelque chose dont on n'a pas envie, ou qu'on n'est pas sûr de désirer.

Parfois c'est risqué de refuser, parce que l'autre peut être menaçant. Et il n'est pas toujours possible de faire la sourde oreille... Il faut savoir que refuser quelque chose qu'on ne veut pas faire, c'est juste un mauvais moment. Alors que si on le fait, et qu'on regrette ensuite, le malaise risque de durer longtemps. Cela vaut la peine de prendre son courage à deux mains, parfois, pour dire « non ». Si l'on n'ose pas, on peut demander l'avis de quelqu'un en qui on a confiance.

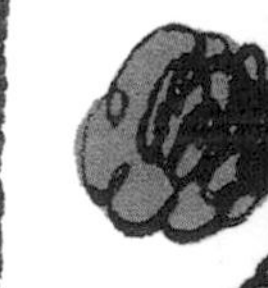

RSONNE SAURA ...
TU VEUX VENIR REGARDER des vidéos CHEZ MOI? ...
refuser
NON ...
TU VEU
NON ...
TU VEUX UNE BAFFE?!!
J'AVAIS RAISON DE ME MÉFIER DE CE TYPE ...

Respecter

Dans la vie en société, il y a des choses qu'on ne peut pas choisir.

Il y a des lois, votées par des députés élus au suffrage universel, c'est-à-dire par tous les adultes. Il faut les respecter.

La police veille au respect de ces lois.

Les juges, eux, sont chargés d'innocenter ou de condamner les personnes accusées d'avoir violé la loi.

On n'a pas le droit de voler, par exemple, ni de recourir à la violence.

Mais quand il n'y a pas de loi, chacun choisit ce qui lui paraît le mieux, et tant que cela ne gêne personne, nul n'a le droit de le lui reprocher. Même si ça n'empêche pas de discuter !

Tu peux vraiment pas t'empêcher
'empiéter sur mon espace vital...
je suis différent, c'est tout...
Pis j'ai pas d'acné moi, au moins...
respecter

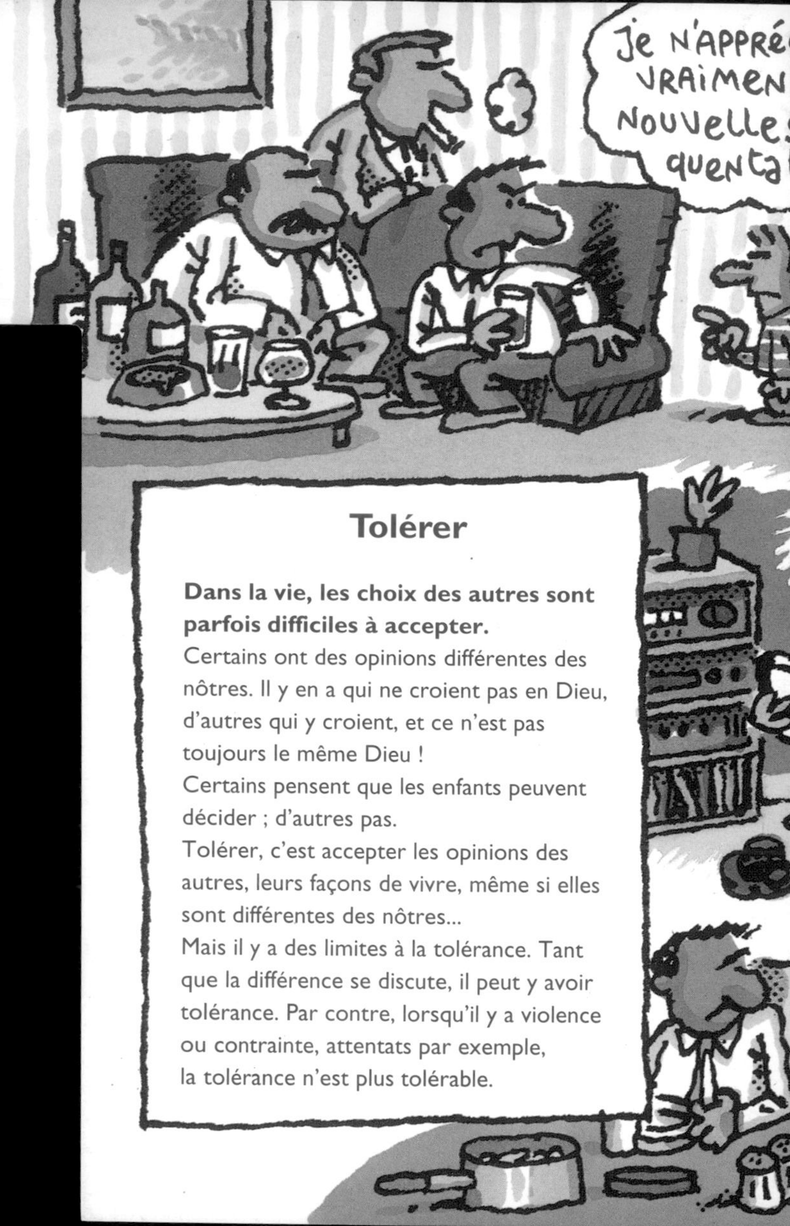

Tolérer

Dans la vie, les choix des autres sont parfois difficiles à accepter.

Certains ont des opinions différentes des nôtres. Il y en a qui ne croient pas en Dieu, d'autres qui y croient, et ce n'est pas toujours le même Dieu !

Certains pensent que les enfants peuvent décider ; d'autres pas.

Tolérer, c'est accepter les opinions des autres, leurs façons de vivre, même si elles sont différentes des nôtres...

Mais il y a des limites à la tolérance. Tant que la différence se discute, il peut y avoir tolérance. Par contre, lorsqu'il y a violence ou contrainte, attentats par exemple, la tolérance n'est plus tolérable.

RHAA! MUM' ... tes cheveux!!!
il t'a pas fait payer, au moins ...
tolérer
VIRE IMMÉDIATEMENT ce disque de la platine!...
vite!
... le petit pont de bois...
VOUS BOUFFEZ VRAIMENT N'IMPORTE QUOI...
MES PARENTS REFUSENT DE VOIR LA RÉALITÉ EN FACE...

Résister

Dans la vie, il y a des moments où s'affrontent non plus des personnes, mais des groupes.

Pour imposer leurs croyances, il arrive que des groupes utilisent la contrainte et la violence. Souvent, quand la société va mal, certains cherchent des victimes : des « boucs émissaires », qu'ils essaient de faire haïr en les accusant de tous les maux ; parfois même, ces groupes n'hésitent pas à tuer.

Face à cette violence, il peut être dangereux de refuser ouvertement. Mais on peut toujours résister, lutter en secret.

Et surtout, on peut garder ses propres opinions, même s'il n'est pas facile de les dire publiquement.

TOP 50

À CHIER!

MINABLE!

POG!

résister

... GAGNE LE PIN'S QUI PARLE DE « ALERTE À MALIBU ET LES GARÇONS » ...

CONSTERNANT ...

DANCE MACHINE

NAZE ...

DÈS QUE JE ME RELÂCHE, JE ME FAIS AVOIR...

Intervenir

Dans la vie, il y a des moments où l'on ne peut pas se contenter d'être spectateur, comme si l'on regardait un film à la télé.

Il faut intervenir. Lorsque quelqu'un est en danger, si on ne peut pas intervenir seul, on peut toujours prévenir des adultes. Souvent, des accidentés ou des malades meurent parce que les secours n'ont pas été demandés assez vite. Pourtant, la loi punit la « non-assistance à personne en danger ».

Quand on hésite parce qu'on craint d'avoir mal apprécié le danger ou de paraître ridicule, il faut se dire que se tromper est moins grave que de laisser souffrir ou mourir quelqu'un.

NON MAIS dis-DONC, ViLAIN !...
T'AS PAS HONTE ?
STOP !!!
Adieu La vie !
Sauvé !
intervenir

Alerter

Dans la vie, on apprend parfois des choses embarrassantes qu'on aurait préféré ignorer.

On apprend qu'un camarade est battu par ses parents ; que des grands demandent de l'argent à des petits, en les menaçant ; que des adultes abusent d'enfants en leur faisant des choses qu'ils détestent et dont ils ont honte.

C'est une grande responsabilité de décider s'il faut alerter les adultes, en parler à ses parents ou aux professeurs. Il faut savoir que les victimes ont peur de parler, et que si l'on ne se décide pas à alerter soi-même quelqu'un, la situation risque de devenir encore pire pour elles.

alerter

Se défier

Dans la vie, on entend parfois parler des autres d'une drôle de manière.
Il paraît qu'ils ont fait ceci, qu'ils ont dit cela… Et c'est toujours « on » qui l'a dit, c'est-à-dire personne. On appelle cela des rumeurs. La plupart du temps ce sont des mensonges, et l'on ferait mieux de se défier des « on dit ».
Mais comme en France il y a un proverbe qui dit : « Il n'y a pas de fumée sans feu », beaucoup de gens croient que c'est quand même un peu vrai.
Il ne faut pas se laisser tromper par ces racontars. Mieux vaut se garder de croire à quelque chose qu'on n'a pas pu vérifier soi-même.

ARds ...
ÇA
...

Tu sais, moi à l'école, ... toujours premier ...

Si y'a un courant d'air, tu vas rester coincé comme ça ...

T'as raison ...

Reste pas si près de l'écran, tu vas abîmer tes yeux ...

Bien sûr...

se défier

ucoupe
vient
ans le

ben
yons
...

J'arrive!

J'arrive!

J'arrive
J'arrive

Me voilà!

Savoir et croire

Dans la vie, il arrive qu'on confonde savoir et croire.

Quand on assiste à un événement, une bagarre par exemple, on sait ce qui s'est produit. Mais quand on n'a pas vu le début, on peut supposer, croire que l'un a commencé, alors que c'est l'autre.

Lorsqu'on raconte l'événement, il faut faire attention de ne pas affirmer ce qui n'est qu'une croyance.

Les journalistes se méfient de ce phénomène et, généralement, ils disent d'abord ce qui s'est passé avant de proposer leur commentaire. Ainsi, chacun peut se faire sa propre opinion. Il faut toujours se méfier de ce que l'on croit sans savoir.

savoir et croire

Participer

Dans la vie des pays démocratiques, il arrive qu'on demande l'avis de tous les adultes, parce que tous sont concernés.

Ce sont les élections, ou les référendums. On demande aussi parfois l'avis des enfants, à l'école, ou dans les conseils municipaux d'enfants, ou dans les loisirs collectifs, pour les projets qui les concernent.

Dans ce cas, c'est important de donner son avis, de participer à la décision, de dire à haute voix ce qu'on pense tout bas.

Il ne faut jamais croire que son avis n'a pas d'importance. Tant qu'on n'a pas essayé de le donner, et d'en discuter, on ne peut pas savoir.

est
de
7+2=8
PARticiPeR!
si c'est vous qui le dites ...
participer

Communiquer

Dans la vie, il est aussi important d'écouter les autres que de parler soi-même.

Cela permet de réfléchir, de se demander si l'on est d'accord ou si l'on a tort ou raison. Écouter les autres et leur répondre, c'est communiquer. Et ainsi on peut trouver des solutions qui conviennent à tout le monde, chacun abandonnant un peu de sa première idée et acceptant un peu des idées des autres.

Quand on parle sans écouter les autres, c'est un dialogue de sourds, et l'on n'en sort pas. Vouloir s'exprimer à tout prix, sans rien entendre, cela revient souvent à refuser de prendre une décision commune.

...
...
...
BEN dis-donc,
T'es PAS Bavarde
Toi, ce soir ...
commu-
niquer

S'exprimer

Dans la vie, il est aussi important de s'exprimer que d'écouter les autres.
Parfois on est timide, on n'ose pas. Ou l'on pense que ce qu'on dit n'intéresse personne. Mais quand on écoute bien les autres, il est facile de savoir ce qu'on peut dire d'intéressant, qui n'a pas encore été dit.
Ou d'exprimer un avis différent de ceux des autres. S'exprimer ainsi, ce n'est pas parler pour ne rien dire.
Quand ce qu'on veut dire est clair dans sa tête, il y a des chances que ce soit clair aussi pour les autres. Et il ne faut jamais oublier que c'est important pour tous que chacun donne son avis, s'exprime.

ME TROUVE MOCHE !...
VOUS AVEZ VOTÉ POUR QUI ?!!
MERDE
POURQUOI JE PEUX PAS CHOISIR MES FRINGUES ? ...
MORT AUX VACHES !
JE VEUX ARRÊTE LES ÉTU ET ME FA PLEIN DE
COMMENT ON FAIT LES BÉBÉS ?...
LE ST E !
QUAND EST-CE QU'ON AURA UN CHIEN !
ÇA VEUT DIRE QUOI PHALLUS ? ...
UOI ?! CORE DES NDIVES AU JAMBON ?
T'AVAIS PROMIS ! ...
JE VEUX UN SCOOTER ! ...
AUX PROCHAINES VACANCES, JE PARS AVEC MES POTES ...
SI !

s'exprimer

Se contrôler

Dans la vie, parfois, on n'est pas du tout d'accord avec son voisin.
Le ton monte, on s'énerve, on crie, on se met en colère, on dit des méchancetés. On perd le contrôle de soi et on finit par faire des choses qu'on regrettera plus tard. Si l'on veut que les autres nous respectent, il faut les respecter aussi.
Ne pas obéir automatiquement à des réflexes incontrôlés qui nous poussent à la colère. Même si ce qui est dit nous fâche, il faut apprendre à se contrôler. Alors nos idées sont bien claires et l'on trouve facilement des arguments pour discuter. Se contrôler est plus efficace qu'exploser.

Je me contrôle parfaitement !...

Contrôle !

BWAAAH ...

Je me contrôle !

Maintenant, si vous insistez, je peux me mettre vraiment en colère ...

se contrôler

Se révolter

Dans la vie, on peut être victime d'une injustice.

Cela peut concerner des personnes, des groupes ou des nations. C'est une injustice d'être accusé d'une faute qu'on n'a pas commise. C'est une injustice de se voir imposer par la force des règles qu'on n'a pas choisies. En particulier lorsqu'elles sont imposées par un État totalitaire, une dictature par exemple.

Dans ce cas, on a le droit de se révolter, de lutter de toutes ses forces, de chercher des alliés, pour obtenir justice.

Mais lorsque c'est la majorité qui choisit démocratiquement des règles, même si on n'est pas d'accord, ce n'est pas une injustice, mais une simple divergence d'opinions.

Moi, ce qui me révolte, c'est la nullité de ce sitcom...

ZAPPE ou je t'ARRACHE UN oeil !

c'est PAS UN ACCOUTREMENT, c'est PASque je suis UN REBELLE...

UN Révolté, tu vois...

LA PROCHAINE Fois, ils laisseront pas PASSER l'HEURE de LA PROMENADE...

FUCK LA Société !

H !

ENCORE du CHOUX-FLEUR EN GRATIN...

LA Révolte GRONDE...

cHien
st EN TRAIN
PISSER
R LE
PIS

Achevé d'imprimer au 4e trimestre 1996
sur les presses de Beascoa, en Espagne.
Conception graphique : Gérard Lo Monaco.
Photogravure : A. R. G.
N° ISBN : 284146 324.9
N° d'éditeur : 1394

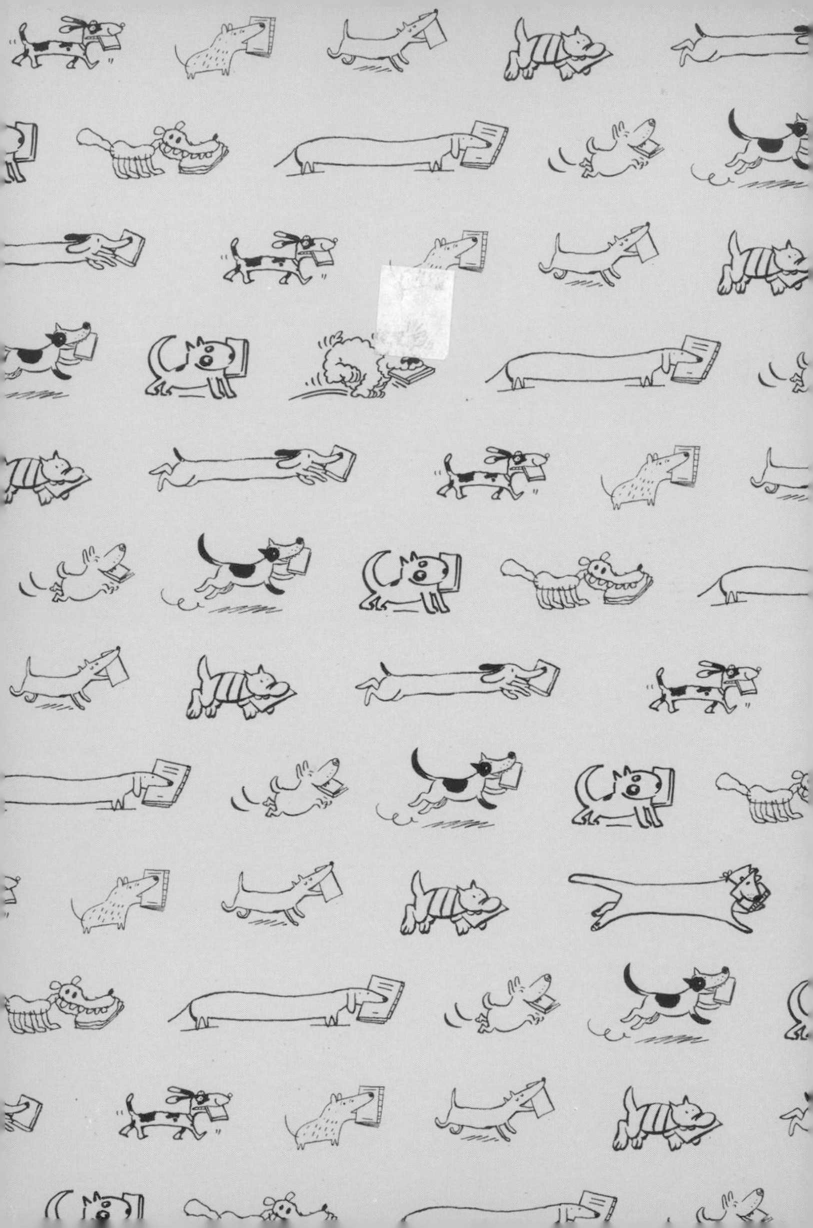